쿵작쿵작 신나는

율동 동요

삼성출판사
samsungbooks.com

차례

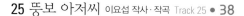

곰 세 마리

곰 세 마 리 가 한 집 에 있 어 아빠곰 엄마곰 애 기 곰

아 빠 곰 은 뚱 뚱 해 엄 마 곰 은 날 씬 해

애 기 곰 은 너 무 귀 여 워 히 쭉 히 쭉 잘 한 다

 ❶ 곰 세 마리가

 ❷ 한집에 있어

 ❸ 아빠 곰

 ❹ 엄마 곰

 ❺ 애기 곰

 ❻ 아빠 곰은

 ❼ 뚱뚱해

 ❽ 엄마 곰은

 ❾ 날씬해

 ❿ 애기 곰은

 ⓫ 너무 귀여워

 ⓬ 히쭉히쭉

⓭ 잘한다

7

열 꼬마 인디언

1절 한 꼬마 두 꼬마 세 꼬마 인 디 언 네 꼬 마 다섯꼬마 여섯 꼬마 인 디 언

일곱 꼬 마 여덟 꼬 마 아홉 꼬마 인 디 언 열 꼬마 인 디 언

2절 열 꼬마 아홉 꼬마 여덟 꼬마 인디언 일곱 꼬마 여섯 꼬마 다섯 꼬마 인디언
네 꼬마 세 꼬마 두 꼬마 인디언 한 꼬마 인디언

따라 해 보세요

1절 ① 한 꼬마 두 꼬마 세 꼬마 　　**②** 인디언 　　**③** 네 꼬마 　 다섯 꼬마 　 여섯 꼬마 　　**④** 인디언

⑤ 일곱 꼬마 　 여덟 꼬마 　 아홉 꼬마 　　**⑥** 인디언 　　**⑦** 열 꼬마 　　**⑧** 인디언

동물 흉내

오 리 는 꽉 꽉   오 리 는 꽉 꽉   염소음 매   염 소 음 매

돼 – 지 는 꿀 꿀   돼 – 지 는 꿀 꿀   소 는 음 머   소 는 음 머

따라 해 보세요

❶ 오리는 꽉꽉

❷ 오리는 꽉꽉

❸ 염소 음매

❹ 염소 음매

❺ 돼지는 꿀꿀

❻ 돼지는 꿀꿀

❼ 소는 음머

❽ 소는 음머

9

텔레비전

1절 텔 레 비 전에 내 가 나 왔 으면 정 말 좋 겠 네 – 정 말 좋 겠 네

춤 추 고 노 래 하 는 예 쁜 내 얼 굴

텔 레 비 전에 내 가 나 왔 으면 정 말 좋 겠 네 – 정 말 좋 겠 네

2절 ...엄마... 아기가 엄마 하고 부를 테니까...
3절 ...아빠... 아기가 아빠 하고 부를 테니까...

 1절 ❶ 텔레비전에

 ❷ 내가 나왔으면

 ❸ 정말 좋겠네

 ❹ 춤추고

 ❺ 노래하는

 ❻ 예쁜 내 얼굴

 ❼ 텔레비전에

 ❽ 내가 나왔으면

 ❾ 정말 좋겠네

 2절 ❷ 엄마 나왔으면

 ❸ 정말 좋겠네

 ❹ 아기가

 ❺ 엄마 하고

 ❻ 부를 테니까

 3절 ❷ 아빠 나왔으면

 ❸ 정말 좋겠네

 ❹ 아기가

 ❺ 아빠 하고

 ❻ 부를 테니까

11

하마와 기린

1절 뚱 뚱 한 하 마 가 뛰 어 온 다   날 씬 한 기 린 이 뛰 어 온 다   깊은숲속에서

부딪혔 다   너 때 문 이 야   너때문이야   둘이는화가 나서   푸 푸 푸

2절 ...미안 미안해 미안 미안해
둘이는 사이좋게 하하하

따라 해 보세요

1절 ❶뚱뚱한 하마가 뛰어온다   ❷날씬한 기린이 뛰어온다   ❸깊은 숲 속에서   ❹부딪혔다   ❺너 때문이야   ❻너 때문이야

❼둘이는 화가 나서   ❽푸푸푸   2절 ❺미안 미안해   ❻미안 미안해   ❼둘이는 사이좋게   ❽하하하

12

곰 잡으러 갑시다

곰 잡으러 갑시다 헤엄쳐서 갑 - 시 다

나 무 위 로 올 라 가 이 - 리 저 - 리 보 다 가

살 금 살 금 내 려 와 바 위 틈 에 숨 어 서

큰 - 곰 을 봐 됐 다 가 꼬 리 를 살 짝 잡 아 라

사과 같은 내 얼굴

1절 사 과 같 은 　내 얼 굴 　예 쁘 기 도 　하 구 나

눈 도 반 짝 　코 도 반 짝 　입 도 반 짝 　반 짝

2절 오이 같은 내 얼굴 길기도 하구나
눈도 길쭉 귀도 길쭉 코도 길쭉길쭉

3절 호박 같은 내 얼굴 우습기도 하구나
눈도 둥글 귀도 둥글 입도 둥글둥글

따라 해 보세요

1절 ❶ 사과 같은 내 얼굴　❷ 예쁘기도 하구나　❸ 눈도　❹ 반짝

❺ 코도　❻ 반짝　❼ 입도　❽ 반짝반짝

2절 ❶ 오이 같은 내 얼굴　❷ 길기도 하구나　❹ 길쭉　❺ 귀도

3절 ❶ 호박 같은 내 얼굴　❷ 우습기도 하구나　❹ 둥글

15

병원차와 소방차

1절 하 얀 자동차가 삐 뽀 삐 뽀 내가먼저 가야해요 삐 뽀 삐 뽀

아픈사람 탔으니까 삐 뽀 삐 뽀 병원으로 가야해요 삐 뽀 삐 뽀 삐

2절 빨간 자동차가 애앵애앵 내가 먼저 가야 해요 애앵애앵
불났어요 불났어요 애앵애앵 불을 끄러 가야 해요 애애애애앵

따라 해 보세요

1절 ❶ 하얀 자동차가 ❷ 삐뽀삐뽀 ❸ 내가 먼저 가야 해요 ❹ 삐뽀삐뽀 ❺ 아픈 사람 탔으니까 ❻ 삐뽀삐뽀

❼ 병원으로 가야 해요 ❽ 삐뽀삐뽀삐 2절 ❶ 빨간 자동차가 ❷ 애앵애앵 ❺ 불났어요 불났어요 ❼ 불을 끄러 가야 해요

16

머리 어깨 무릎 발

닮은 곳이 있대요

1절 엄마 하고 나 하고 닮은곳이 있대요 엄마하고 나하고 닮은곳이있대요

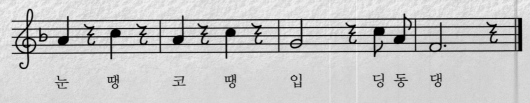

눈 땡 코 땡 입 딩 동 댕

2절 ...아빠...

1절 ① 엄마하고 나하고 ② 닮은 곳이 있대요 ③ 엄마하고 나하고 ④ 닮은 곳이 있대요

⑤ 눈 ⑥ 땡 ⑦ 코 ⑧ 땡

⑨ 입 ⑩ 딩동댕 **2절** ① 아빠하고 나하고 ② 닮은 곳이 있대요

⑤ 눈 ⑥ 땡 ⑦ 코 ⑧ 땡

⑨ 입 ⑩ 딩동댕

통통통통

밀림으로

산 속 에 깊 은 　 강 　　　　 산 속 에 깊 은 　 강

배 를 타 고 　 배 를 타 고 　 밀 림 으 로 　 밀 림 으 로

꿩 두 마 리 푸 드 득 푸 드 득 　 물 개 두 마 리 　 쑥 　 쑥

다 람 쥐 두 마 리 토 독 　 토 독 　 달 려 든 다 호 랑 이 　 땅

그러면 안 돼

아이스크 림 맛이있어서 하나먹고둘 먹고 또먹 었더 니

뿌루루루룩 뿌루루루룩 뿌룩 뿌룩 배 가아파요

어 지 러 웠죠 골 치 아 팠죠 병 원 에 갔죠 주 사 맞 았 죠

그 런 데 내동생 들 이 하나먹고둘 먹고 또먹 겠대 요

그 러 면 안 돼 그 러 면 안 돼 떽 떽 떽

 ❶ 아이스크림

 ❷ 맛이 있어서

 ❸ 하나 먹고 둘 먹고

 ❹ 또 먹었더니

 ❺ 뿌루루루룩 뿌루루루룩

 ❻ 뿌룩 뿌룩

 ❼ 배가 아파요

 ❽ 어지러웠죠

 ❾ 골치 아팠죠

 ❿ 병원에 갔죠

 ⓫ 주사 맞았죠

 ⓬ 그런데 내 동생들이

 ⓭ 하나 먹고 둘 먹고

 ⓮ 또 먹겠대요

 ⓯ 그러면 안 돼

 ⓰ 그러면 안 돼

 ⓱ 떽

  ⓲ 떽

  ⓳ 떽

23

올챙이와 개구리

개울가 – 에 올챙이한 마리 꼬물꼬물 헤엄치다

뒷다리가 쑥 앞다리가쑥 팔딱팔딱 개구리됐네

꼬물꼬물 꼬물꼬물 꼬물꼬물 올챙이가

뒷다리가 쑥 앞다리가쑥 팔딱팔딱 개구리됐네

그대로 멈춰라

즐 겁 게 춤 을 추 다 가 그 대 로 멈 춰 라

즐 겁 게 춤 을 추 다 가 그 대 로 멈 춰 라

Fine

눈 도 감 지 말 고 웃 지 도 말 고 울 지 도 말 고 움 직 이 지 마

D.C.

또리똘똘 체조

(또 리 똘 똘) 나 풀나풀나는 나 비 -

폴 짝 폴 짝나는개 구 리 요 리 조 리나는 물고 기 - - -

정 말정 말재 미 있 어 - 엄마 랑웃어 요 방글 방글방글 -

신 나 게웃어 요 방글방글방글 - 열 려 라 열 려 라 톡 톡 톡

커 져 라 커 져 라 생 각주머 니 또리똘 똘 똘 똘 똘 똘

 ❶ 또

 ❷ 리

 ❸ 똘똘

 ❹ 나풀나풀 나는 나비

 ❺ 폴짝폴짝 나는 개구리

 ❻ 요리조리 나는 물고기

 ❼ 정말 정말

 ❽ 재미있어

 ❾ 엄마랑 웃어요

 ❿ 방글 방글 방글

 ⓫ 신나게 웃어요

 ⓬ 방글 방글 방글

 ⓭ 열려라

 ⓮ 열려라

 ⓯ 톡톡톡

 ⓰ 커져라

 ⓱ 커져라

 ⓲ 생각 주머니

 ⓳ 또리똘똘

 ⓴ 똘똘

 ㉑ 똘똘

일어나요

일 어 나 요　　일 어 나 요　　어서 어서 일 - 어나 일 어 나 세요

일 어 나 요　　일 어 나 요　　아 침 이 우 리 들 을　　맞 아 요

나무 들 도　　모 두 깨어 나고 -　　태 양 이　　높 - 이 솟 아 요

어서 일어 나 요　　일 어 나 (야호)

작은 주전자예요

나는 작고 뚱뚱한 주전자 손잡이있고 주둥이있죠

보글보글 물이 끓으면 쭉기울여따라 주세요

따라 해 보세요

❶ 나는 작고

❷ 뚱뚱한

❸ 주전자

❹ 손잡이 있고

❺ 주둥이 있죠

❻ 보글보글 물이 끓으면

❼ 쭉 기울여 따라 주세요

아기 염소

파 란 하 늘 파란하늘꿈이 드 리 운푸른언덕 에

아기염소여럿이 풀을뜯고놀아요 해처럼밝은얼굴 로

빗방울이뚝뚝뚝뚝 떨어지는날에는 잔뜩찡그린얼굴 로

엄마찾아음－매 아빠찾아음－매 울상을짓다 가

해 가 반 짝 곱게피어나면 너 무 나 기다렸나 봐

폴짝폴짝콩콩콩 흔들흔들콩콩콩 신나 는아기염소 들

 ❶ 파란 하늘

 ❷ 파란 하늘 꿈이

 ❸ 드리운 푸른 언덕에

 ❹ 아기 염소 여럿이

 ❺ 풀을 뜯고 놀아요

 ❻ 해처럼 밝은 얼굴로

 ❼ 빗방울이 뚝뚝뚝뚝

❽ 떨어지는 날에는

 ❾ 잔뜩 찡그린 얼굴로

 ❿ 엄마 찾아 음매

 ⓫ 아빠 찾아 음매

 ⓬ 울상을 짓다가

 ⓭ 해가 반짝

 ⓮ 곱게 피어나면

 ⓯ 너무나 기다렸나 봐

 ⓰ 폴짝폴짝 콩콩콩

 ⓱ 흔들흔들 콩콩콩

 ⓲ 신나는 아기 염소들

31

깡깡총 체조

손을높이 손을 높이 – 쭉 쭉 쭉 쭉쭉뻗어봐요 –

발을쿵쿵 발을쿵쿵– 쿵 쿵 쿵 쿵쿵굴러봐요 –

엉덩이를 실룩 실룩샐룩 – 이쪽저쪽 실룩샐룩 –

빙글뱅글 빙글뱅글 – 깡 깡 총 깡총깡총 깡 깡 총

둘이서 코 잡고

둘이 서둘 이서 코 잡고   맹맹 이맹맹 이 맹 맹이

둘이 서둘이서 귀 잡고   돌돌 이돌돌 이 돌 돌 이

둘이 서둘이서 손 잡고   동동 이동동 이 동 동 이

둘이 서 둘이서 팔 끼고   빙빙 이빙빙 이 빙 빙 이

다람쥐 한 마리

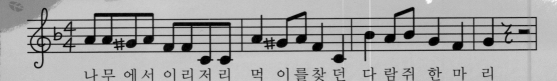

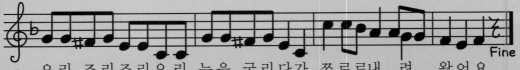

나무 에서 이리저리 먹 이를찾던 다람쥐 한 마 리

요리 조리조리요리 눈을 굴리다가 쪼르르내 려 왔어요
쪼르르내려 온 다람쥐

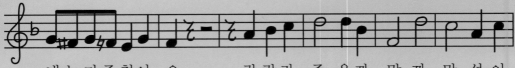

숲속 오솔길에 굴러온도토 리주우려 고   이 쪽저 쪽살피다

내눈마주쳤어 요   랄랄라 주 울까 말 까 망 설 이

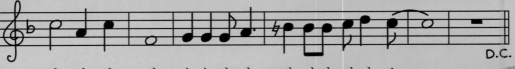

다 숲 속 멀 리 달아나버려요 – 먹 을까 말 까

Fine

D.C.

망 설 이 다 숲속멀리 달 아나 버려요 –

34

❶ 나무에서 이리저리

❷ 먹이를 찾던

❸ 다람쥐 한 마리

❹ 요리조리 조리요리

❺ 눈을 굴리다가

❻ 쪼르르 내려왔어요

❼ 숲 속 오솔길에

❽ 굴러 온 도토리

❾ 주우려고

❿ 이쪽저쪽 살피다

⓫ 내 눈 마주쳤어요

⓬ 랄랄라 주울까

⓭ 말까

⓮ 망설이다

⓯ 숲 속 멀리

⓰ 달아나 버려요

⓱ 먹을까

⓲ 말까

⓳ 망설이다

⓴ 숲 속 멀리

㉑ 달아나 버려요

㉒ 나무에서 이리저리

㉓ 먹이를 찾던

㉔ 다람쥐 한 마리

㉕ 요리조리 조리요리

㉖ 눈을 굴리다가

㉗ 쪼르르 내려온

㉘ 다람쥐

오리 가족 소풍

1절 아빠 오리 가   도시락을 가지고   소 - 풍을 가요 짠 뒤뚱

돌 다 리 를 건 너 서   언 덕 을 넘 으   면 "이야 시원하다 야호"

시 냇 물 이 흐 르 는   즐 거 운 오 리 소 풍   짠 뒤 뚱

2절 엄마… "어머나 땀이 나네 화장을 좀 고칠까"   4절 언니… "우리 사진 찍어요 하나 둘 셋 찰칵"
3절 오빠… "와 시원한 계곡이다"   5절 아기… "엄마 다리 아파요 업어 주세요"

따라 해 보세요

1절 ❶아빠 오리가 ❷도시락을 가지고 ❸소풍을 가요 ❹짠 ❺뒤뚱 ❻돌다리를 건너서

❼언덕을 넘으면 ❽"대사" ❾시냇물이 흐르는 ❿즐거운 오리 소풍 ⓫짠

⓬뒤뚱 2절 ❶엄마 오리가 3절 ❶오빠 오리가 4절 ❶언니 오리가 5절 ❶아기 오리가

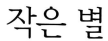

작은 별

반 짝 반 짝 작은 별 아름 답게 비치 네

동 쪽 하 늘 에 서 도 서 쪽 하 늘 에 서 도

반 짝 반 짝 작은 별 아름 답게 비치 네

뚱보 아저씨

1절　뚱 보 아 저 씨　집 - 에 - 는　일곱 명의 아 들 이

있 었 는 데 요　그 중 에 하 나　키 가 크 고 요

나 머 지 는 작 대 요　　오 른 손 올 - 려 요 왼 - - 손 올 - 려 요
　　　　　　　　　Fine　　　　3　　　3　　　3

2절 …고개를 흔들어요 엉덩이를 흔들어요

따라 해 보세요

1절 ① 뚱보 아저씨　② 집에는　③ 일곱 명의 아들이 있었는데요　④ 그중에 하나　⑤ 키가 크고요

⑥ 나머지는 작대요　⑦ 오른손 올려요　⑧ 왼손 올려요　2절 ⑦ 고개를 흔들어요　⑧ 엉덩이를 흔들어요

38

빙빙 돌아라

손을 잡고 왼쪽으로 빙빙 돌아 라 손을 잡고 오른쪽으로 빙빙 돌아 라

뒤로 살짝 물러났 다 앞으로 다시 들어가 손뼉 치며 빙빙 돌아 라

따라 해 보세요

❶ 손을 잡고 왼쪽으로　　❷ 빙빙 돌아라　　❸ 손을 잡고 오른쪽으로　　❹ 빙빙 돌아라

❺ 뒤로 살짝 물러났다　　❻ 앞으로 다시 들어가　　❼ 손뼉 치며　　❽ 빙빙 돌아라

둥근 해가 떴습니다

둥근해가떴습 니 다 자리에서일어나 서
꼭꼭씹어밥을 먹 고 가방메고인사하 고

제일먼저이를 닦 자 윗니아랫니닦 자
유치원에갑 니 다 – 씩씩하게갑 니 다

세수할때는 깨끗이 이쪽저쪽– 목닦고

머리빗고옷을 입 고 거–울을봅니 다

Fine

D.C.

 ❶ 둥근 해가 떴습니다

 ❷ 자리에서 일어나서

 ❸ 제일 먼저 이를

 ❹ 닦자

 ❺ 윗니 아랫니 닦자

 ❻ 세수할 때는 깨끗이

 ❼ 이쪽저쪽

 ❽ 목 닦고

 ❾ 머리 빗고

 ❿ 옷을 입고

 ⓫ 거울을 봅니다

 ⓬ 꼭꼭 씹어 밥을 먹고

 ⓭ 가방 메고

 ⓮ 인사하고

 ⓯ 유치원에 갑니다

 ⓰ 씩씩하게 갑니다

41

멋진 눈사람

리듬 악기 노래

둥글게 둥글게

둥글게둥글게 둥글게둥글게 빙글빙글돌아가며 춤을춥시다

손뼉을치면서 노래를부르며 랄라랄라즐거웁게 춤추자

Fine

링가링가링가 링가링가링 링가링가링가 링가링가링

손에손을잡고 모두다함께 즐거웁게뛰어봅시 다

D.C.

❶ 둥글게 둥글게(박수)　　　　　❷ 빙글빙글 돌아가며 춤을 춥시다

❸ 손뼉을 치면서　　　❹ 노래를 부르며　　　❺ 랄라랄라 즐거웁게 춤추자

❻ 링가링가링가 링가링가링　　　❼ 링가링가링가 링가링가링

❽ 손에 손을 잡고 모두 다 함께　　　❾ 즐거웁게 뛰어 봅시다

45

거미

거미가 줄을타고 올라갑니 다 비가 - 오면 끊어집니 다

해 님이 방긋 솟아오르 면 거 미가 줄을타고 내려옵니 다

따라 해 보세요

❶ 거미가 줄을 타고 올라갑니다

❷ 비가 오면

❸ 끊어집니다

❹ 해님이 방긋

❺ 솟아오르면

❻ 거미가 줄을 타고 내려옵니다

46

나는 콩이에요

1절 나 는 콩 　 나 는 콩 　 동글 동글 동 그 래 서

떼 구 르 굴 러 다 니 다 　 프 라 이 팬 에 　 들 어 갔 었 지

그 런 데 웬 일 일 까 　 그 런 데 웬 일 일 까 　 어 　 어 　 뜨 거 워

2절 ...프라이팬은 미워 프라이팬은 미워 콩 콩 콩

따라 해 보세요

1절 ❶ 나는 콩　❷ 동글동글 동그래서　❸ 떼구르 굴러다니다　❹ 프라이팬에　❺ 들어갔었지

❻ 그런데 웬일일까　❼ 어 어　❽ 뜨거워　2절 ❻ 프라이팬은 미워　❼ 콩 콩 콩

여름 냇가

1절 시냇 – 물은 졸졸졸 – 졸 고기들은 왔다 갔 다

버 들 – 가 진 한들 한 – 들 꾀꼬리는꾀 꼴 꾀 꼴

2절 황금 옷을 곱게 입고 여름 아씨 마중 왔다
노랑 치마 단장하고 시냇가에 빨래 왔지

따라 해 보세요

 1절 ❶ 시냇물은 졸졸졸졸
 ❷ 고기들은 왔다 갔다
 ❸ 버들가진 한들한들
 ❹ 꾀꼬리는 꾀꼴꾀꼴

 2절 ❶ 황금 옷을 곱게 입고
 ❷ 여름 아씨 마중 왔다
 ❸ 노랑 치마 단장하고
 ❹ 시냇가에 빨래 왔지

주먹 쥐고

1절 주먹 – 쥐고 손을 펴 – 서 손뼉 – 치고 주 – 먹 쥐고

또 다시 펴서 손뼉 치 – 고 두 – – 손을 머리 위에

해 님 이 반 짝 해 님 이 반 – 짝 해 님 이 반 짝 반 짝 거 려 요

2절 ...나비가 훨훨... 훨훨 날아요
3절 ...나팔이 뚜뚜... 나팔 불어요

따라 해 보세요

1절 ❶ 주먹 쥐고   ❷ 손을 펴서   ❸ 손뼉 치고   ❹ 주먹 쥐고   ❺ 또다시 펴서   ❻ 손뼉 치고

❼ 두 손을 머리 위에   ❽ 해님이 반짝   ❾ 반짝거려요   2절 ❽ 나비가 훨훨 훨훨 날아요   3절 ❽ 나팔이 뚜뚜 나팔 불어요

모두 다 뛰놀자

모 두 다 홉 홉 홉 뛰 어 라 모 두 다

훨 훨 훨 날 아 라 모 두 다 동 동 동 굴 러

라 모 두 다 빙 빙 빙 돌 아 라

우 우 와 와 와 와 와

우 우 와 와 와 와 우 와 모 두 다

50

❶모두 다 홉홉홉 뛰어라

❷모두 다 훨훨훨 날아라

❸모두 다 동동동 굴러라

❹모두 다 빙빙빙 돌아라

❺우 우

❻와 와 와 와 와

❼우 우

❽와 와 와 와우 와

❾모두 다 홉홉홉 뛰어라

❿모두 다 훨훨훨 날아라

⓫모두 다 동동동 굴러라

⓬모두 다 빙빙빙 돌아라

삐쭉이 빼쭉이

재 미 있 게 놀 다 가 삐 쭉 거 리 면　삐 쭉 이 빼 쭉 이　삐 쭉 이 빼 쭉 이

사 이 좋 게 놀 다 가 심 술 부 리 면　심 술 이 못 난 이　심 술 이 못 난 이

예쁜 눈도 삐 쭉　예쁜 코도 빼 쭉　삐 쭉 이 빼 쭉 이　삐 쭉 이 빼 쭉 이

숲 속의 음악가

1절 나 는 숲 속의 음 악 가 조 그만 다 람 쥐 아

주익 숙 한 솜 씨로 바이 올린 켜지 요 애애 앵앵앵 애애

앵앵앵 애애 앵앵앵 애애 앵앵앵 참 잘 – 하지 요

2절 ...피리를 불지요 삐리삐삐삐...

따라 해 보세요

1절 ❶ 나는   ❷ 숲 속의   ❸ 음악가   ❹ 조그만 다람쥐   ❺ 아주 익숙한   ❻ 솜씨로

❼ 바이올린 켜지요   ❽ 애애앵앵앵   ❾ 참 잘하지요   2절 ❼ 피리를 불지요   ❽ 삐리삐삐삐

53

옹달샘

1절 깊은 산 — 속 옹 달 샘 누 가 와 서 먹 나 요
맑 고 맑 — 은 옹 달 샘 누 가 와 서 먹 나 요

새 벽 에 토 끼 가 눈 비 비 고 일 어 나

세 수 하 — 러 왔 다 가 물 만 먹 고 가 지 요

2절 ...달밤에 노루가 숨바꼭질하다가
목마르면 달려와 얼른 먹고 가지요

따라 해 보세요

1절 ❶ 깊은 산속   ❷ 옹달샘   ❸ 누가 와서 먹나요   ❹ 맑고 맑은   ❺ 옹달샘   ❻ 누가 와서 먹나요

❼ 새벽에   ❽ 토끼가   ❾ 눈 비비고 일어나   ❿ 세수하러   ⓫ 왔다가   ⓬ 물만 먹고 가지요

2절 ❼ 달밤에   ❽ 노루가   ❾ 숨바꼭질하다가   ❿ 목마르면   ⓫ 달려와   ⓬ 얼른 먹고 가지요

54

여섯 마리 오리

호키포키

1절   다 같이   오른손을 안에 넣고   오른손을 밖에 내고

오른손을 안에 넣고 힘껏흔들 어손 들고   호키포키 — 하며

1. 2. 3.   4.

빙빙돌면서즐 겁 게 춤 추 자   다 같이   자

호 키   포 키   호 키   포 키

호 키   포 키   신 나게같이춤추 자

2절 …왼손…
3절 …오른발…
4절 …왼발…

따라 해 보세요

1절 ❶ 다 같이 오른손을 안에 넣고 ❷ 오른손을 밖에 내고 ❸ 오른손을 안에 넣고

❹ 힘껏 흔들어 ❺ 손들고 호키포키 하며 ❻ 빙빙 돌면서 즐겁게 춤추자

2절 ❶ 다 같이 왼손을 안에 넣고 ❷ 왼손을 밖에 내고 ❹ 힘껏 흔들어

3절 ❶ 다 같이 오른발을 안에 넣고 ❷ 오른발을 밖에 내고 ❹ 힘껏 흔들어

4절 ❶ 다 같이 왼발을 안에 넣고 ❷ 왼발을 밖에 내고 ❹ 힘껏 흔들어

57

부모님께 노래하고 춤추며 자라는 아이들

황소영 (유아교육학 박사)

한창 자라는 아이들에게는 율동이 꼭 필요합니다. 신체 발달뿐 아니라 정서와 인지 발달의 기초가 되기 때문입니다. 엄마, 아빠가 아이들과 함께 자주 율동을 하는 것이 좋은데, 이때 신나는 동요와 함께 하면 더욱 즐겁게 할 수 있습니다.

1~3세의 아이들은 부모님의 간단한 몸짓을 따라 합니다. 팔다리를 흔들거나 손뼉을 치는 단순한 움직임에도 흥미를 느낍니다. 이 시기에는 "주먹 쥐고 손을 펴서 손뼉 치고 주먹 쥐고" 같은 동요를 들려주면서 율동을 함께 해 보세요. 손으로 하는 쉬운 동작을 따라 하면서 눈과 손의 협응력이 키워지고, 아이의 손을 잡고 리듬에 맞춰 걸으면 대근육과 소근육이 발달됩니다.

3~4세에는 좀 더 복잡한 동작을 따라 할 수 있습니다. "꼬물꼬물 헤엄치다 뒷다리가 쑥 앞다리가 쑥 팔딱팔딱 개구리 됐네" 같은 동물을 흉내 내는 율동이 이 시기의 아이들에게 적합합니다. 개구리의 모습을 몸으로 표현하면서 표현 능력이 길러지고, 이 시기에 필요한 신체 조절 능력도 갖게 되지요.

5세 이후의 아이들은 어울려 놀기를 좋아합니다. "다 같이 오른손을 안에 넣고 오른손을 밖에 내고 힘껏 흔들어" 같은 동요에 맞춰 집에서 아이와 함께 율동을 해 보세요. 함께 어울려 몸을 움직이고 신나게 춤을 추면서 엄마, 아빠와의 유대감이 더욱 커지고, 밝고 긍정적인 아이로 자라납니다.